D1294926

LES DINOSAURES

Illustrations : Peter Scott

Texte : Alastair Smith et Judy Tatchell
Maquette : Ruth Russell
Images numériques : Keith Furnival

Pour l'édition française :
Traduction : Lorraine Beurton-Sharp
Rédaction : Renée Chaspoul et Anna Sanchez

Des gentils géants

Voici quelques-uns des plus gros dinosaures. Ils étaient beaucoup plus grands que les girafes, et beaucoup plus lourds que les éléphants.

Même leurs petits avaient la taille d'une vache.

Ces dinosaures respiraient par des narines sur le sommet de la tête. Les vois-tu ?

Ces dinosaures sont des brachiosaures.

Ils ne mâchaient pas leur nourriture. Ils l'arrachaient et l'avalaient entière.

Que fait ce dinosaure ? Soulève le rabat pour voir.

Les mères et leurs petits

Les dinosaures pondaient des œufs, comme les oiseaux. Les petits sortaient de la coquille.

Ce dinosaure recouvre ses œufs avec des feuilles pour les tenir au chaud.

Ce dinosaure est un maiasaura.

Si les œufs refroidissaient, les petits risquaient de mourir à l'intérieur.

Regarde tous ces œufs
de dinosaures. Un bébé
est en train de sortir.
Ce bébé dinosaure
est un orodromeus.

Rapide et féroce

Ce dinosaure chassait d'autres animaux.
Il était grand, fort, rapide et féroce.
On l'appelle le tyrannosaurus rex
ou « T-rex » en abrégé.

Le T-rex avait deux choses moins grandes...

Sa bouche était munie de dents acérées. Il pouvait tuer d'un coup de mâchoires.

Le T-rex attaquait sa proie brusquement. C'était terminé en quelques secondes.

La peau du T-rex était dure et écailleuse, un peu comme celle d'un crocodile.

Le T-rex était aussi long qu'un autobus et aussi grand qu'une maison.

Le T-rex repérait les animaux à l'odeur, sans les voir. Cherche l'animal qui est en danger.

Dans les airs

Ces animaux volants vivaient à l'époque des dinosaures.

Ce n'étaient ni des dinosaures ni des oiseaux, mais des ptérosauriens.

Regarde ces ailes gigantesques. Elles étaient recouvertes d'une peau dure.

Chaque aile faisait la longueur de deux adultes.

Vois-tu les pattes avant et les doigts de ce ptéranodon ?

Celui-ci était capable d'avaler un poisson entier. Ouvre son bec.

Dans la mer

À l'époque des dinosaures, de nombreux poissons et autres animaux vivaient dans la mer.

Voici un ichtyosaure. Il ressemblait à un poisson, mais il respirait de l'air, comme nous.

Sous l'eau, il retenait sa respiration. Il pouvait le faire beaucoup plus longtemps que nous.

Les ichtyosaures ressemblaient un peu aux dauphins, qui vivent dans la mer de nos jours.

Les animaux devaient se méfier dans la mer. Il y avait beaucoup de monstres terrifiants dans l'eau...

Drôles de têtes

Certains dinosaures avaient vraiment de drôles de têtes.

Celui-ci pouvait émettre des sons puissants. Il faisait un bruit de trompette grâce aux longs tuyaux situés à l'intérieur de sa tête pointue.

Ce dinosaure est un parasaurolophus.

Ils vivaient ensemble, comme un troupeau de vaches.

Ce dinosaure avait une grosse tête en forme de drôle de chapeau.

Avec ses mâchoires garnies de plusieurs rangées de dents, il broyait les plantes coriaces.

Il avait une grande queue très lourde.

Voici un corythosaurus.

Les pattes avant étaient palmées, comme celles d'un canard.

Des lutteurs

Ces dinosaures savaient se défendre. C'étaient d'excellents combattants.

Celui-ci avait un crâne épais. Idéal pour donner des coups de tête.

Celui-là avait des cornes sur la tête. Parfait pour empaler.

Ce dinosaure est un pachycéphalosaure.

C'est un tricératops.

Ce dinosaure avait une vraie carapace, couverte de plaques osseuses. Rien ne pouvait la transpercer.

Même les petits avaient des dents et des griffes pointues. Ils étaient très rapides aussi.

Il n'y a plus de dinosaures aujourd'hui.
Ils sont tous morts il y a très longtemps.

Avec la collaboration de Christopher Morris et de Verinder Bhachu

© 2003 Usborne Publishing Ltd., Usborne House, 83-85 Saffron Hill, Londres EC1N 8RT, Grande-Bretagne. © 2003 Usborne Publishing Ltd pour le texte français.

Le nom Usborne et les marques sont des marques déposées d'Usborne Publishing Ltd. Tous droits réservés. Aucune partie de cet ouvrage ne peut être reproduite, stockée en mémoire d'ordinateur ou transmise sous quelque forme ou moyen que ce soit, électronique, mécanique, photocopieur, enregistreur ou autre sans l'accord préalable de l'éditeur. Imprimé à Singapour.